小兔汤姆
成长的烦恼图画书
心理自助读物

汤姆的小妹妹

[法]玛丽 - 阿利娜·巴文／图　　　[法]克斯多夫·勒·马斯尼／文　　　梅　莉／译

海燕出版社

　　过了圣诞节，过了我的生日和爸爸的生日，又等到新学期开学，妈妈的肚子不停地鼓胀起来。好像里面有个小婴儿。

　　我把手放在妈妈的肚子上，感觉就像起了波浪。那是婴儿在不停地手脚乱动，可能他太无聊了吧。

今天，是爸爸到幼儿园接我，因为妈妈去医院了。婴儿真的要出生了！

我们到了医院。爸爸很激动。他跑着上楼梯，我都跟不上他了。

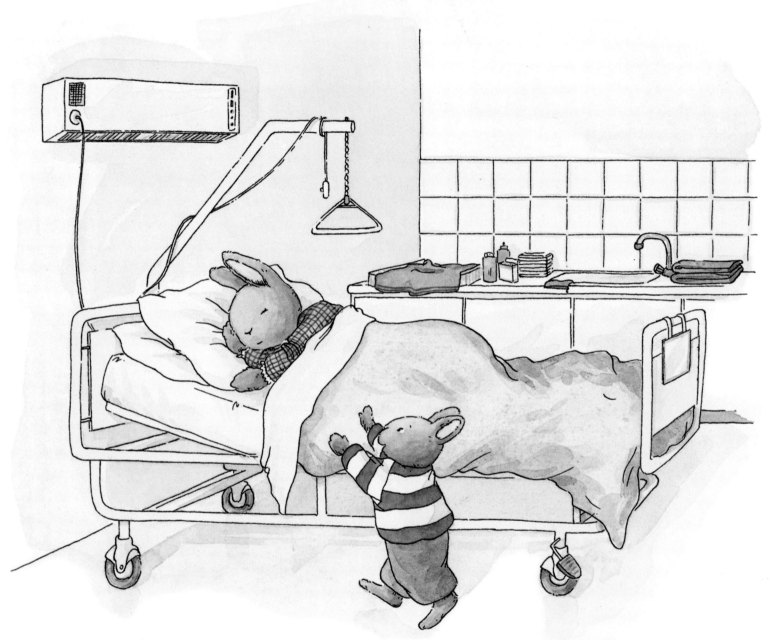

我们走进一个白色的房间。我想扑到妈妈的怀里，可是，妈妈却睡着了。

　　"快，过来看！"爸爸冲着一张小床，弯下腰，轻轻地对我说，"是个女孩，她叫伊娜。"

　　哦，她是那么的小！她的脸皱皱的，像一只失去了水分的苹果。她真不像个小女孩……

　　伊娜睁开眼睛，看着我。"你好，伊娜！"我和她打了个招呼，但她却用细小的哭声回答我。我觉得很好玩。

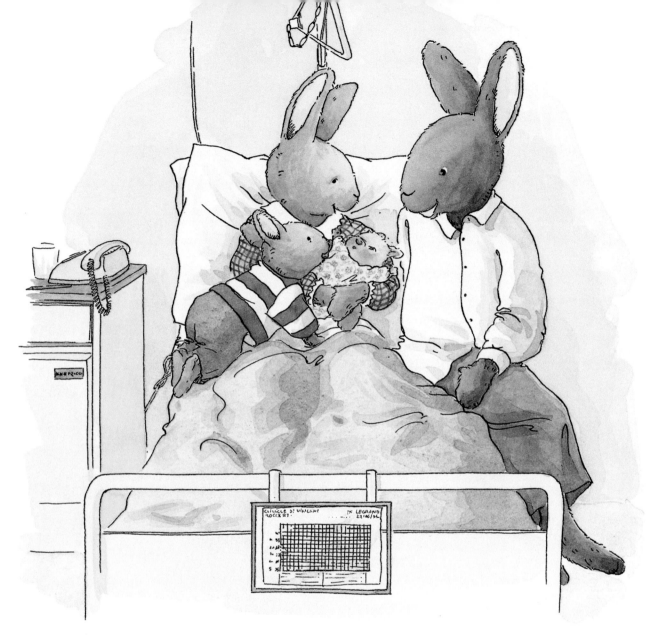

　　妈妈告诉我，她和伊娜还要在医院里待几天。"为什么？你们生病了？""当然不是。"妈妈笑着说。

回到家，爸爸和我开始给伊娜准备房间。爸爸给墙贴上新的壁纸，我也动手做了好多装饰花环。

我很愿意把我的卡车借给伊娜，就把它放在了伊娜的床下。

　　星期六，妈妈带着伊娜回来了。好多人都来看她们，有的
人我从来没有见过。

伊娜真是一个大礼物！大家都拥抱她，夸她漂亮……

我感到没人理我了……

　　我想让伊娜看我玩皮球，差点儿把皮球扔到伊娜的摇篮里。妈妈急忙阻止了我，因为伊娜正在睡觉。

　　妈妈叮嘱我，伊娜睡觉的时候，不要弄出声音来。
可是，她老在睡觉。

夜里，伊娜总是哭。她的哭声都把我吵醒了！妈妈还要不停
地哄她，给她喂奶。

我问妈妈，伊娜还要在我们家待多久？妈妈回答说，伊娜是我的妹妹，她永远和我们在一起。

　　伊娜哭的时候，我给她唱我在幼儿园里学的儿歌，她马上就不哭了。

只有我能哄伊娜，这是爸爸说的。大家都表扬我。

下午，吃点心的时候，我给伊娜喂奶。她喜欢
让我喂她喝奶，这是妈妈说的。

　　尽管伊娜经常哭，也不能和我一起玩皮球，可我还是很喜欢我的小妹妹。

　　我抓抓伊娜的小脚丫，胳肢胳肢她，她就会开心地
笑起来。我觉得我们在一起可真快乐！